KB153274

진달래 대표 시인선

묵필(默筆)로 그린 기도시(祈禱詩)

두 손 들고

운봉 조영황/시집

진달래 출판사

운봉(雲峰) 조영황 (시인, 작사가)

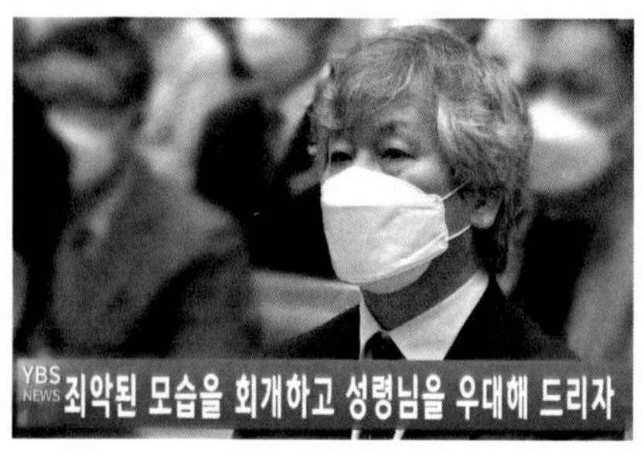

대한민국 서울출생.
한양대 경영학석사 졸업(MBA)
연세대 교회음악 합창지휘 2년 수료
한국교회음악협회 합창지휘세미나 15년 이상 수료
문학예술 신인상 (시 부문) 등단
현, 문학예술서경지회 이사
현, 유넥스코리아 대표(공간건축디자이너)
현, 한국가곡작사가협회 이사
현, (사)서울우리예술가곡협회 부회장
현, (사)한국음악저작권협회 회원
현, 작곡가 김성희 음악카페 회장
현, 연세중앙교회 51남전도회 회장

진달래 대표 시인선

묵필(默筆)로 그린 기도시(祈禱詩)

두 손 들고

운봉 조영황/시집

________________님께 드립니다.

운봉(雲峰) 조영황

두 손 들고

인　쇄 : 2022년 6월 25일 초판 1쇄
발　행 : 2022년 7월 1일 초판 1쇄
지은이 : 조영황
펴낸이 : 오태영
표지디자인 : 노혜지
출판사 : 진달래
신고 번호 : 제25100-2020-000085호
신고 일자 : 2020.10.29
주　소 : 서울시 구로구 부일로 985, 101호
전　화 : 02-2688-1561
팩　스 : 0504-200-1561
이메일 : 5morning@naver.com
인쇄소 : TECH D & P(마포구)

값 : 12,000원
ISBN : 979-11-91643-58-9(03810)

시인의 말

신앙생활을 잘 하려고 하면 할수록 어려워지는 것이 현실입니다.
인생이 조금씩 물들어 갈수록 세상 부귀 명예 사치가 눈에 더 많이 보이기 때문이겠지요.
그래서 기도밖에 방법이 없음을 조금씩 깨닫게 됩니다.
세상 권세자인 마귀를 멸하러 오신 예수님께서 십자가에 달려 죽으시고 부활 승천하시면서 성령을 주시고 '내 이름으로 기도하면 내가 시행하리라'고 약속하셨으니 기도로 이겨내야 합니다.
인생의 마지막 선택지인 기도하는 교회를 만나 영혼의 때를 위해 살게 하시니 모든 것이 감사뿐입니다.
맡기신 회원들을 주님 심정으로 섬기며 그런 작은 느낌을 모아 일기처럼 써낸 것을 세상에 내어놓으려 하니 주저함이 없지 않습니다.
사랑으로 애독하여 주시면 조금이나마 공감하실 것으로 생각합니다.
감사합니다.

2022. 7월 여름날에 운봉 조영황

차 례

시인의 말

part 1. 기도하며

사랑이야 15

사랑의 고향(故鄕)으로 돌아가자 16

영원히 찬양하리 17

감사로 주 찬양 18

사랑의 향기(香氣) 20

놀라운 사랑 21

그리스도, 만유(萬有)의 아버지 22

마라나타 주님 23

그 사랑 24

회개(悔改) 25

영혼(靈魂) 지킴이 26

다짐 28

의심 29

공명 30

음성 31

상하시고 찢기신 사랑에 32

주님 이제 기도하며 살겠습니다 33
허비 34
탕자의 삶을 정리하고 35
무응답의 진실(眞實) 36
50일, 그 날 이후(以後) 37
그럴 시간 있으면 38
사랑의 수문(水門)을 열어 39
연세가족이 할 말(기도) 40
피 흘려 살리신 사랑 42
배경이 되어 44
마스크 속 진실(眞實) 46
코로나 4단계 풍속도(風俗圖) 48
얼굴 49

part 2. 사랑하며

무관심도 관심 51
그리움 52
날개 53
기다림 54
약속(約束) 55
구원(救援) 56
에클레시아 57

권세위에 권세(權勢) 58
삶의 그을린 순간들 59
믿음의 생각 60
살리는 계명(誡命) 61
꽃은 혼자 피지 않는다 62
목소리 63
내가 거(居)할 곳은 세상이 아니다 64
죄(罪)의 문을 여는 열쇠가 내 안에 충만(充滿)케
하라 65
착각(錯覺) 66
바다 속 깊은 도시(都市) 67
기도(祈禱) 68
가고 있다 69
기도는 노동(勞動)이 아니다 70
기도(祈禱)는 주님과의 거래(去來) 71
죽음보다 무거운 것이 죄(罪) 72
빛의 갑옷을 입고 73
사랑의 이력서(履歷書) 74
무지(無知) 75
다(多) 76
은혜(恩惠) 77
대답 78
시련의 벽(壁)을 넘어서 79

Part 3. 무릎 꿇어

지금 81

살리는 영(靈) 82

반짝이는 성 83

우슬초의 사랑 84

나무십자가 위에서 86

그 푸르던 날을 기억하며 87

감동을 넘어 88

왜 그리하셨나요 89

무릎 꿇어 90

영원토록 찬양해 91

다음 92

섬김 93

신앙(信仰)의 나이테 94

장로(長老) 95

인생 96

그날 97

더 좋은 날 98

꿈 99

날개 100

신념과 신앙 101

청포리 사랑 102

아! 영월 103

3차 맞았어? 104
초청음악회 105
봄아 106
허무 107
우리 만날까 108
왼쪽여행 109
지금 갈게 110

Part 4. 찬양하고

이모 113
헬몬 찬양대 114
점등예배 116
스치며 117
궁금하지만 118
잠실체육관 119
기도 굴 120
배추밭 122
기관장이 되어 123
예루살렘 문화 홀 124
세종 체임버 홀 126
안디옥 성전 127
수원기도처 128

동탄 성전 130
인격적인 만남 131
섬길수록 132
나는 종(從)이로소이다 133
기다리는 사람 134
신부의 믿음 135
우리 천국가자 136
가장 큰 충성은 예배 138
나는 주님에게만 141
유월의 항구에서 142
그길로 144
알았습니다 146
나의 고백 147
몰랐습니다 148
두 손 들고 150
기관회원 152

교회신문사 시인 인터뷰 153
축하의 말 : 신앙생활이 시가 되는 삶 159
시인 프로필 160

Part 1

기도하며

사랑이야

사랑은 회수하지 않는 것
사랑은 중단되지 않는 것
사랑은 감사가 쉬지 않는 것
사랑은 아까워하지 않는 것

진리말씀 영으로 거듭난 자가
하나님은 사랑이 근본이라 말하는 것
예수님은 사랑의 실체이시고
성령이 사랑을 보증한다

회개(悔改)하고 돌아오기를 기다리신다
자신의 피로 구원하신다
사랑의 법은 찔리시고 상하시고 징계 받으시고
채찍에 맞으므로 우리의 문제를 해결했으니

이 사랑을 받아 누리려면 죄(罪)를 내놓으라
저주지옥 영생천국
사랑은 계산하지 않는다
신인(神人) 간(間)에 최고의 것
사랑이야

사랑의 고향(故鄕)으로 돌아가자

달린 잎은 겨울을 나기위해
자신의 수분을 볕에 말리고

인간을 살리시려 주님은
자신의 피와 수분을 모두 쏟아
십자가에 널어놓는 계절(季節)에

우린 어떤 세상을 바라보며
살아왔나

곡식은 타작마당에서 파르르 떨고
인생도 심판 날에 자신의 변호(辯護)를 통해
천국과 지옥이 갈릴 판

멀어진 예배를 회복하고
내 영혼의 신음소릴 듣기위해
주님이 계신 현장으로 나아가자
사랑의 고향으로 돌아가자

영원히 찬양하리

죄의 근성 버리고 말씀으로 거듭난 자
와서 내 안에 거하라
영원한 평안주리

주님은 우리 죄를 담당하사
사랑과 용서로 화답해 주의 자녀 삼으셨네

독생자를 희생시켜 수렁에서 건지시고
죄악에서 자유 함을
선물로 주시었네

진리로 거듭난 생명 주셨으니
그 이름 그리스도
영원히 찬양하리

감사로 주 찬양

예수 왕의 왕
놀라운 능력의 주
나팔 불며
용맹스럽게 나갈지라

사랑의 종 된 주의 군사들이여
세상을 구원하려
아들 보내신 뜻

놀라운 계획
새롭게 세우시는 꿈
사랑으로 덮으시고 인도 하시는
높으신 주 이름
감사로 찬양하라

예수 왕의 왕
주의 크신 그 사랑
우리 방패시니 담대히 나갈지라

믿음의 용사들아
승리의 주님께
온 맘과 정성 모아
찬양을 드리자

진리 생명이요 길 되신 주님께
소리 높여 찬양하라
놀라운 이름
믿음 안에서
감사로 주 찬양하라

사랑의 향기(香氣)

놀라워라 주 몸 죽여 날 살리신 그 큰 사랑
죄와 형벌 못 견디는 날 건지신 고귀한 꿈
주의 길은 오직 아버지의 뜻을 이루는 일
주의 길은 오직 인류의 죄를 해결하는 일
놀라워라 주 몸 죽여 날 살리신 그 큰 사랑
그 사랑의 향기 고마워 내 평생 찬양하리
그 사랑의 향기 감사해 내 평생 충성하리

놀라워라 주 몸 죽여 날 살리신 그 큰 사랑
사망권세 이기시고 성령 보내신 영원한 꿈
주의 길은 오직 아버지의 뜻을 이루는 일
주의 길은 오직 인류의 죄를 해결하는 일
놀라워라 주 몸 죽여 날 살리신 그 큰 사랑
그 사랑의 향기 고마워 내 평생 예배하리
그 사랑의 향기 감사해 내 평생 전도하리

놀라운 사랑

죄악으로 지쳐 주저앉고 싶을 때
우리주님 몸소 빛이 되어 주시었네

내 영혼 살리시려 찢기시고 상하여
내 죄와 죽음과 지옥에서 건지셨네

놀라운 그 사랑 무엇으로 갚으리오
눈물로 참회하니 용서로 대하시네

거룩한 주손 길 생명의 성령의 법이
나를 살리셨네
멸망 저주 영벌에서
소망 축복 영생 길로 바꾸셨네

그 사랑 그 은혜 무엇으로 갚으리까
영원토록 내주님 찬양하며 살리라
주와 함께 영원히 누리며 살리라

그리스도, 만유(萬有)의 아버지

멸망 받을 나를 구하시려
육신 입으시고

그 몸 죽여 제물 되신
주의 귀한 어린양

맑은 영혼에 사랑으로
침례 베푸시는

주님이 온 세상 구원하신
만유의 아버지

지존자, 통치자, 구원자 되시는 그 이름
신실한 믿음과 사랑으로
감싸 주시네

교회의 머리요
영혼의 때 구원자이신
그 이름 그리스도, 만유의 아버지시라

마라나타 주님

신실한 믿음과 하늘소망 마음에 담아
간구했던 마가의 다락방 백 이십 문도
성령 충만하여 하늘의 음성 들었네

곧 다시 오마 약속하신 말씀 그대로
하늘 아버지 우편 보좌에서
강림하실 주님
고대하며 기쁨의 나라 오리라

주 말씀 믿었네 마라나타 주님이시여
전하라 땅 끝까지, 외치라 불신자에게,
말하라 주사랑 기쁨과 감사가 넘치네

복된 세상 우리주님 오시면 완성되리
오소서 속히 오소서
마라나타 주님

어둠권세 몰아내고 만국백성 기뻐하라
재림의 주 맞으리
천국열쇠 산 소망으로
살아가는 주의 백성들이여

그 사랑

죄악의 고통으로 내려놓고 싶은 인생
세상 저편 좌절의 끝에서 만난 주님
그가 내게 오셔서 어루만져 주셨네

둘러맨 모든 짐 내려놓고
소망 채워 내 영혼 살리시려
성탄하신 주님만이
세상에 참 빛이라 몸소 보인 그 사랑

거룩한 주의 손길
따스한 사랑으로 나를 만지셨네
사망권세 이기시고 영생의 길로 바꾸신
놀라운 은총

그 사랑 귀한 뜻 온 우주에 가득하고
천국의 보화 쌓아가는 사랑의 실천
찬양하며 나 살리라
보혈의 그 사랑

회개(悔改)

벌써 열세 번째다
그 소중함을 잊은 채
바라보는 것은 무엇

구하라, 주시겠다던 것은
내 안에 부표(浮漂)였던가?

믿음이라는 이름으로
써 내려간 일기가
퇴색의 강 되어 흐르고

이면지로 돌아온 허망함을
어찌할 바 몰라
손 단지에 흘러넘치는 눈물

주여! 내가 여기 있사오니
나를 만나주소서

영혼(靈魂) 지킴이

심장의 한 부분이라도 떼어 내
살려보겠다는 심정으로

극심한 추위와 코로나와의 싸움에도
아랑곳하지 않고

전장에 뛰어든 무명용사처럼
아름답고 용맹스러운
그 이름 영혼 지킴이

주린 자에게 연명하라고
손바닥만 한
먹거리를 주는 일도 거룩한데
영혼 살리는 일이랴!

연세중앙교회의 길라잡이
진정한 신앙생활의 시작을 알리는
그대들이 있어
천국의 소망을 꿈꾸게 된다

애써 선한청지기라

말하지 않아도

그 길을 지나치는 우리는

눈물겹도록 감사하고 행복하다

다짐

골인점에서 누가 웃을 것인가
마지막까지 견디는 자가
구원이라는 영예를 차지할 터

좁쌀만 한 가슴에
말씀을 얼마나 채웠나

믿음의 행보를 다지고 다져도
아침이슬이 햇볕에 사라지듯이
연약해 진다면
주님을 어떻게 뵐까

지근 거리에 있는 모습도 보지 못한 나
하늘나라에 계시는 하나님을 어떻게 만날까

시급히 받아야할 수업이 있다면
신부의 수업 말고 무엇이 있으랴

돌아오라
머뭇거리지 마라

의심

백 가지가 넘는
소원을 말하고
사정을 아뢴다 하여도

풀리지 않는 숙제가 있다면
과연 기도를
한 것인가

믿음의 기도는
역사하는 힘이 크다 소리쳐도

문자적 말씀이라 여긴다면
무슨 힘이 되어 돌아올까

작심하고 작정하여도
믿음 없이 구한다면
주술과 뭐가 다를까

답안지를 쥐고
갈팡질팡한다면 믿기는 하는가?

공명

애타는 마음으로 두 손을 들면
감동은 비되어 내리고

나지막한 소리로 찬양을 드려도
천둥처럼 적막을 깬다네

나타내지 못해
타는 가슴으로 운다면
그 울부짖음이 왜 당도하지 않으리

큰 울음으로 부르짖고 난 후
허공만 울린다면
얼마나 딱한 신세인가

벽이 아닌
내 상한 마음을 두드려
주님의 귓전까지 가게 하라

음성

아버지 오늘은
이런 울림을 주세요

내가 혼자 해보려고
발버둥 칠 때
선잠 깨고 일어나
먼 산을 볼 때

어서 말해, 생각만 말고
이런 음성 들릴 때
기도하게 하소서

아버지 오늘은
이런 울림은 주세요

내가 습관적으로 나서는
길이라도
주님 사랑하는 나의 마음을
흘려버리지 않게 하소서

상하시고 찢기신 사랑에

주님! 나 같은 거 살리시려
고통의 십자가 지셨나요?

나 같은 게 뭐라고
벌거벗겨 수모 당하시고
맞으시고 놀림을 참아
살리셨나요?

믿기지 않은 사실에
숙연해 지는 사월

저 너머에 영생 있어
내 이름으로 뭐든지 말해, 내가 들어줄게
어리석은 자를 아들죽여 살리시고
복 주어 나를 살리신 사랑

십자가 크신 고통 날 위해
상하시고 고난받으시고 핍박받으시고
찢기시어 나를 자유하게 하신
사월(死越)의 사랑

주님 이제 기도하며 살겠습니다

기회를 주시고
기대를 품게 하시며
사랑의 이름을 갖게 하시니
감사합니다

말씀이 생명이요
생명은 영생인데
주님 이제는 기도하며
주를 알고보고 느끼며
충만하게 살겠습니다

딴 길로 가지 않겠습니다
기도를 들으시는 분은 오직 주님 뿐
내가 지니고 다닐 이유가 없는 삶의 무게
이젠 주님 발아래 내려놓고
살겠습니다

허비

마른 침을 삼키며 다짐을 해도
무엇에 이끌림이 없다면

망상에 덫을 씌우는 것

한없이 반복되는 부르짖음에
육신은 혼절하고

아무것에도 끌리지 못하는 가슴이라면
인생의 허비를 무엇으로 채우랴

듣는 이도 없는 허허벌판에서
목청을 높여도 무엇이 되어 돌아올까
부질없는 일에 쏟는 만큼
인생을 허비하는 못난이 인생

탕자의 삶을 정리하고

내 영혼의 요구를 못 채워
어두움에 방황하고
약속의 말씀 밀치고
세상을 춤추며 살아왔네

시간금전 재능건강
바닥난 탕자처럼 살다
하늘이 걷어지고
딛던 땅은 흔적도 없이 사라질 때
나는 어디에 있을까?

인격적인 변화를 통해서만
볼 수 있는 주님의 창
내가 어찌해야 하나요?

'구하라, 주시마' 약속의 말씀 부여잡고
이제 사 구하오니
용서하옵소서!

다시금 구하오니 은혜를 주옵소서!

무응답의 진실(眞實)

그렇게 몸부림치며 울부짖었건만
내가 그저 부자가 되는 것에
침묵하셨습니다

하소연하며 매달려 부르짖었건만
내가 그저 건강함을 구하는 것에
침묵하셨습니다

능력주시면 내가 뭐든 하겠다고
큰 소리로 간구하였으나
네 은혜가 지금 족하다 말씀하십니다

내일의 강을 건너기 위해
오늘 기도의 다리를 놓는 시간이
손가락질 당하지 않도록

50일, 그 날 이후(以後)

나를 만져주시고
죄인 된 내게 은혜 주셔서
기도의 맛을 이어가게 하시는
크신 사랑

우리가정 우리교회 우리목사님
우주 안에 있는 그 어떤 것도
꼭 필요한 때 응답을 주시는
놀라운 계획

주님은 내 이름을 사용해
내 피를 인정만 해
너를 쓸게, 도와줄게
든든함이 가득한 약속

쏟아낸 눈물만큼
더 큰 행복 있으니
소망을 찾는 길에
어찌 안 구하랴!

그럴 시간 있으면

그럴 시간 있으면 기도하고
그럴 시간 있으면 전도하자

그럴 시간 있으면 충성하고
그럴 시간 있으면 말씀보자

그럴 시간 있으면 찬송하고
그럴 시간 있으면 간증하자

그럴 시간 있으면 사랑하고
그럴 시간 있으면 열중하자

그럴 시간 있으면 심방하고
그럴 시간 있으면 교회오자

그럴 시간 있으면 묵상하고
그럴 시간 있으면 참회하자

그럴 시간 있으면 함께하고
그럴 시간 있으면 천국가자

사랑의 수문(水門)을 열어

쫓기고 눌린 시간을 뒤로하고
물속 깊이 감춰 둔 마른 신작로

희망으로 내딛는 삶의 출발선
환란이 와도 후회는 없으리

정작 배고픔은 창자가 아닌
정착하지 못한 영적 갈급함

사랑의 냇물이 흐르는 동산
진리로 옷 입어 나래를 펴자

말세지 말에 나의 신앙생활
우리 주께 무엇으로 나타낼까

간직한 사랑의 수문을 열어
온 세상에 주 사랑 전하세

연세가족이 할 말(기도)

하늘은 칠흑처럼 어둡고
천둥은 레퀴엠[1]을 연주하듯
세상을 흔들고

웅 웅 거리며 내리는 장대비는
로마를 버리고 떠나는
베드로의 심경이라도 아는 걸까

사랑과 행복 찾아 떠난
궁동은 안녕하신지
묻는 오후가 그립다

기지개를 활짝 핀 하늘은
좀처럼 날갯짓을
멈추려 하지 않고

세상이 향방 없이 갈팡질팡하여도
기도는 이 모든 것에 기회가 되어
행복하다고 읊조린다

---

1) 레퀴엠(Requiem)/ 진혼곡

기대하며 기다리시는 응답의 동산으로
삶의 노정을 내딛으리니
주여! 나를 만나주소서!

피 흘려 살리신 사랑

하늘과 땅이 부딪쳐도
이런 사건은 없으리

저주의 나무에서
인간을 살리신 창조주여

바위가 풍선처럼 터지고
별들이 흩날려도

주님 피 흘리지 않고
어떤 구원이 오리오

흙덩어리 같은 인생 위해
피로 철 철 철 내리시는 그 사랑

죽음 지옥 저주를 넘는
피의능력이

홍해를 가르고 광야에 샘물이
터지는 역사를 만드니

피는 화해요 용서와 사랑이라
인생길 열어 내주님 맞으리

피 흘려 살리신
그 사랑 영원하도록

배경이 되어

바위틈에서 피어나는 꽃망울은
산야가 배경이 되고

꿈틀거리는 각종 생명체는
지구가 배경이 되듯

믿음의 배경은 주님이시요,
기도의 배경은 약속된 말씀이다

죽음 이후 소망은 부활이요,
각종 절기는 감사가 배경이다

심은 대로 거둘 것이란 믿음은
경험이 배경이요

행한 대로 갚으리란 논리는
말씀이 배경이 된다

기도는 믿음의 거래요
약속이 배경이 되기에

내 평생 부르짖어
약속의 샘물을 길어 올리리

마스크 속 진실(眞實)

코로나가 장기화되면서
믿음의 안주를 하고
어디서든 말씀 듣고
은혜 받으면 되는 거 아니야
이성적 감동을 성령의 은혜로 착각하고
나만의 신앙을 지켜 나가면 잘하는 거야
스스로 위로하고

마스크 쓰니
전도도 못 하더냐
머뭇거리며
마스크 속 진심을 왜 말하지 못하는가
마스크 쓰니
기도도 못 하더냐
머뭇거리며
마스크 속 진심을 왜 고하지 못하는가

성령 충만은 구호로,
기도는 마음으로,
전도는 생각으로,

충성은 남의 일로.

이렇게 살다가 주님오시면
무엇을 내 놓으리

네 영혼이 말하는 소리를 행하라

코로나 4단계 풍속도(風俗圖)

나라에 또 다시 급박한 조치가 내려져
신앙의 불을 지피려던 심지가 위태롭다
예상하지 못한 것은 아니나
이렇게까지 옥죄올 줄이야

결혼도 하고 장례도 치루는 일상에서
가족 생일잔치도 직장인 회식도
모두 묶여 마음은 천근이다

결혼식 49명
장례식 99명
직장인 회식 불가
4명, 6명까지 허용
지금이 어느 시대요, 어느 별에서
사는가

얼굴

손바닥만 한 얼굴에
그렇게 많은 인생을 얹어
바라보는 눈가엔 슬픔이 역력해
다가서는 내 마음은 구천 근

미소를 머금은 얼굴에
짧은 이별을 하는 마음을
달래기 위해 바라보는 입가엔
마른버짐이 서 말

Part 2

사랑하며

무관심도 관심

좋은 말이거나 거스르는 말이거나
사랑스럽거나 불량스럽거나
부드럽거나 거친 소리거나
따스한 관계이거나 손가락질 하거나
우리는 인연을 붙들고 살았지

찾지 않은 세월이 전부여도
부럽거나 궁금하지 않아
남인 듯 아닌 듯 살아온 세월이
무정하다 하여도
그렇게 깊은 속을 표현하고 있었다고
말하지 않던가

그리움

말할 수 없어 입술을 깨물고
납득할 수 없어 고개를 떨 구어도
참아낼 자신을 잃고
헤매는 날을 더해
마냥 하늘만 바라본다

그리움의 주머니 속엔
사랑이 꿈틀거려
언제나 만지작거리는
주머니 속 동전 같아

초콜릿 사랑이라도 해보아야
그 달콤함을 알려나
그런 사랑쯤은 아니라도

좋다
그리움이라도 간직한다면
더 좋겠지

날개

날개 잃은 새가 부뚜막에 앉아
냉기를 녹이는 사이

숭늉이라도 먹으라고
바가지에 담아내고

긴 여행 세파에서 남겨진 상흔
눅눅한 마음 알지만

누가 날개를 달아주랴

오라 변론하자시던 그 분을 만나라
꾸짖지 않으시고
어떻게 살아왔나 묻지 않으시고
아무 대답할 의지가 없어도

떨어진 날개 다시 붙여 주시는
주님만이 답이다

기다림

때를 놓칠세라 겉옷을 여미고
마음의 둥지를 벗어나 어디로 가는가?

목적지가 분명하지 않아
불안도 할 터인데
끝내 돌아오지 못하는가?

나라는 지켜주지 못하고
바닷물이 얼마나 차가운데
억장 무너지는 심정
거친 파도에 묻고

바람이 따스한 봄날이
오기만을 기다려
넋을 기리고

오지 않을 사랑을 미련의 그릇에 담고
바가지로 건져 내는 기다림의 무게는
언제 멈추려나

약속(約束)

언젠가
언제까지나 지킬 약속의 잿더미에서
슬픔을 감추고
이내 움을 트기 시작했다
봄의 이름으로 다가 온 그대의 향기

다시 이 땅을 찾아오리라
훈풍을 몰고 오리라
시간을 돌려놓을 순 없으나
모순은 다시 제자리로 옮기어
슬픔과 탄식의 메아리를 멈추게 하리

눅눅한 과거를 버리지 못하고
한 번도 경험하지 못한 나라를 보이겠노라
호언장담했던 그들은 다 어디로 갔나

표심을 넘어 진심을 보이라

구원(救援)

한번 정한 뜻은 변치 않으시고
누구나 동일하게 아버지 집에서

살게 하신 넓으신 사랑

죄인에서 의인으로
자녀에서 신부로
신랑 되신 주님을 감사로
예배로 나아가
깊으신 뜻을 이루고
새로운 나라에서 영원토록 살리라

성도의 옳은 행실인 세마포로 갈아입어
구원에 이르게 하라
가장 구원에 가깝도록 나를 살피어
흐르는 시간을 앞당겨 신랑께 나아가
내가 여기 있나이다

간구하여 나를 보게 하라

에클레시아

교회는 사랑의 현장
생명의 축제요 살아계신
피의 잔치가 넘쳐나는 현장
예수 그리스도를 소유하는 곳

베푸시는 이에게 감사하고
베푸시는 이가 복 주시는 곳
풍성하게 더 얻는 곳

신랑을 맞이하는 대기실이요
신부 수업하는 학원가요
말씀증거와 사랑의 실습장이요
망한 영혼을 달궈내는 용광로

다시 사는 체험장이며
죄인이 의인되는 빨래터
믿음과 소망이 모여 에클레시아
주님사랑을 더해
하나가 되는 곳

권세위에 권세(權勢)

권세위에 권세
은혜위에 은혜
착한 일은 약을 주는 게 아니라
병을 고쳐주는 것이다

지치고 힘들어 하는 그대를 감싸 안으라
그 사랑이 충만하도록
내 받은 사랑을 거저 주라

내가 약해서가 아니고
그가 불쌍해서 그러는 게 아니다
인류애가 있어서도 아니다
말로 다 할 수 없는 사랑을 입었기에

내안에 있는 사랑을 조금 덜어 줄 뿐
권세를 부리는 것도 아니고
선심을 쓰는 것은 더욱 아니다

주 사랑을 말할 뿐

삶의 그을린 순간들

그 표정을 감출 수 없어
길게 드리워진 몸을 일으켜
세월의 강을 건넌다

알 수 없는 웃음을 짓고
파리한 얼굴에 화장을 하고
돌아눕는 그대 언제쯤 올까

눈에 담아도 아프지 않을 사랑을
만나 보았는가?
그런 사랑을 만난다면 떨리는 가슴을
어찌 진정시키랴

검게 그을린 삶의 무게를
눈동자에서 찾고
터진 입술에 얹어 놓을 때

2 리터의 물을 단숨에 마셔도
갈증은 해소되지 않아
퍽퍽한 삶의 샛강을 누구와 건너랴

믿음의 생각

일삼고 과제하듯 기도해야
암 병은 육체를 죽이고
죄악은 지옥으로 몰아세우는 병
믿음의 생각으로 갈아타자

육신의 질병은 죄악의 표출인가
내 삶을 고심하고
내 하루를 고민하고
내가 여기 있음을 알려도
죄악이 남아 있다면 그 무엇이 달라질 텐가

육신의 겉옷을 말려 죄악이 날아간다면
매일이라도 널어놓을 터
믿음의 생각으로 갈아타자
육신을 죽여 영의 생각으로 충만 하자

준비되셨나요?

살리는 계명(誡命)

그것은 차라리 신앙이라고 해야 맞다
관심과 배려 속에 감춰진 마음
열어놓고 닿기를 기다려 온 세월

애타하다가 울부짖다가 지쳐 스러져도
끝내 돌아눕는 그대 향하는 마음
빌어보고 이르기를 바라는 나날

충격으로 실망하고 놓고 싶어도
다시 바라보는 시선
포기할 수 없는 사랑

네가 하는 일 아니야

꽃은 혼자 피지 않는다

꽃은 혼자 피지 않는다
혼자 웃지 않는다
혼자 지지 않는다

사람과 함께 하고
천방지축 개구리와 함께 한다

벌 나비와도 짝을 지어
때를 알리고
연인들을 불러내고
걸음마를 배운 꼬맹이도 불러낸다

벚꽃 길, 진달래 길, 유채 길로 이어지는
사랑의 꽃 마차길이 된다
봄에 피는 꽃은 언제나 흔들리며 피고
서로를 불러내며 핀다

굴속에서 나오지 않으실래요?

목소리

잔소리가 아닌
묵인할 수 없는 사랑의 목소리
양보할 수 없는 사랑의 외침
순종과 공경으로
세상을 향한 첫 계명을 이루라

따스한 목소리가
아니라도
진정 있는 잔소리는
사랑이라는 이름표를 붙이지 않아도
그 길은 거룩하다

수십 번의 거짓을 말해도
모르는 척 고개를 넘고
다시 오는 터 위에 안부를 묻는다

왜 그랬냐고 이유를 묻지 않는
목소리
그 분을 알고 싶지 않으세요?

내가 거(居)할 곳은 세상이 아니다

내가 천국을 머뭇거릴 이유가 없는 이유다
바다의 경계를 두시고 땅의 깊이를 정하신 주
나의 죄악을 썰물로 씻겨 보내고
정죄된 마음을 밀물에 실어
그곳에 이르리라

삶의 바닥을 치고 다시 고개를 드는 이여
그런 몸짓에 시선을 맞추어
외치게 하리
"내게 무엇이든지 내게 구하면 내가 이루리라"
그 음성을 듣게 되는 날
환희에 찬 함성을 외치리

희망의 싹이 트는 날
춤추게 되리

죄(罪)의 문을 여는 열쇠가
내 안에 충만(充滿)케 하라

죄는 못 들어오게 하고
생명은 나오지 못하게 하라
천국열쇠 산 소망으로 주께 나아가자

평생을 손에서 놓지 못하고 달려 온 생이
욕망과 죄였다면 쥔 손이 무슨 소용이 있으리

덜어내는 연습이 필요하다
시간이 막무가내 기다리지 않을 터

지금은 나의 주소를 찾을 때요
약속된 은혜를 찾아 나설 때며
크게 울부짖어 내 존재를 알릴 때다

당신의 주소는 어디입니까?

착각(錯覺)

이성의 감동을 성령의 은혜로 착각하지 말라
마스크 속 진실을 나타내라

전도, 기도, 성령 충만
교회생활이 신앙생활이 다가 아닌
내가 예배자가 될 때
진정한 성도가 됨을
왜 외면하는가

교인으로는 이를 수 없다
교회 안에서 성도로 불림 받아야 간다
교회를 통해서 지옥 가는 사람이
가장 어리석고 불쌍한 자다

내 육신을 예배 자리에 있게 하라
세상에 떠돌다 막차 놓치면
구원의 문은 그대로 끝

다시 기회가 있으리라 착각하지 말라

바다 속 깊은 도시(都市)

바다 속 깊은 곳에 도시가 있고
물속 경계를 두신 이가 있다

햇볕의 길이가 있고
계절의 끝맺음이 분명 있을진대
어이하여 안 듣는가?

은빛물결 잔잔해도
그 안에 파도가 있음을 잊어서는 낭패

삼라만상 다스리고 정복해도
정해진 끝은 있는 법

곤고한 날이 오기 전
내가 어디에 있을지
결정하라

기도(祈禱)

기도는 응급한 보험이요
말씀은 증권이고
전도는 간직한 사랑이라

충성은 감사의 표출이요
심방은 애타는 만남
나눔은 주님의 기쁨이라

예배는 삶의 바탕이요
은혜 입은 자의 찬양은
마음의 숨소리

하늘의 울림을 듣는 자
깨어있는 자요
지금은 자다가 깰 때라

영적생활 구호가 아닌
생명으로 지켜내는 믿음

가고 있다

우리는
선하든 악하든 가고 있다

지옥 말고 천국을 향해
달려야 하는 데
교만하지 말고
기도하여 이루어 가자

더 이상 허상에 붙들려 있지 말고
기도의 자리로 나오라
가고 있나요?

기도는 노동(勞動)이 아니다

기도는 노동이 아니라 생활의 호흡
응답의 흥분 속에 하는 게 기도
듣고 흘려보내지 않으시는 주님
믿으면 영광을 보리라

성령님 날 위해 기도하신다
기도는 담대한 것이다
기도는 상대가 있다

듣기만 하고 응답이 없는 것
소리만 치고 대상이 없는 것에
소비하지 마라

지식은 믿음의 힘을 더해 주는 생명력이 있다
믿음의 기도는 역사하는 힘이 있고
더하여 얻는 기쁨이 있기에

기도는 듣는 자가 응답하신다
기도는 노동이 아닌 주님과의 대화

기도(祈禱)는 주님과의 거래(去來)

기도는 믿음의 거래입니다
달라고 해라 주실 것이다

믿음 있는 자가 기도한다
조금이라도 의심이 있다면 구하지 못해
구해도 구하는 것이 아닌
주술에 불과하다

구하고 의심이 가득하다면
외식하는 자가 되고
간절함이 없는 소리는
그저 울리는 소음일 뿐

나지막한 음성으로 구하여도
그 분은 큰 소리로 응답하셔
일어서라 지금 내가 할게

죽음보다 무거운 것이 죄(罪)

병보다 무거운 것이 죄다
죄는 끌어안을수록 더 중해지고
감출수록 더 깊이 빠진다

말하지 못해 앓는 상처 그 무게 앞에
더 이상 참지 못해 터지는 욕망

사함받고 고침받아
죄와 영영한 이별을 고할 때
빛의 자리 내 것 되리

움직이고 싶지 않으세요?

빛의 갑옷을 입고

빛의 갑옷을 입고 어둠을 몰아내자
진리의 투구를 쓰고 시험을 이겨내자

헛된 것을 내 던지고
기도로 신령한 영적고지를 점령하자

힘들다고 멈추지 말고
천국 향해 한 걸음씩 나아가라

벌거벗은 내 모습
살려고 말씀에 끌려가자

약속은 내일이 있나니
내딛는 자가 차지할 것이다

사랑의 이력서(履歷書)

사랑의 이력서를 들고
주님을 만나자

사랑의 수문을
누가 막으랴

그 이름 아래
흐느끼는 방랑의 시간

눈으로 보고
귀로 듣고
마음으로 깨달아

예수 피가 들어올 때
영혼은 춤추리

무지(無知)

무지는 교만이다
불순종은 죽음으로 내딛는 판결문

내보이지 못하는 속마음을
드러내라

보이게 하라 나는 죄인이로소이다
죄악을 토설하라

그렇게 망설이는 시간만큼
무지와 고집을 부릴 뿐

더하고 빼고를 거듭해도
남는 것은 제로그라운드

다(多)

다
보다 잇다 막다 싶다
불다 하다 알다 얼다
추다 치다 쓰다 오다
가다 죽다 피다 지다
열다 녹다 밉다 먹다
좋다 싸다 맵다 짜다
닫다 춥다 덥다 하다

그립다 전하다 살리다 그리다
지우다 졸리다 말리다 달리다
멈추다

사랑하다 좋아하다 시장하다 달려가다
심방하다 찾아오다 소풍가다 따분하다
지루하다 멀미나다

은혜(恩惠)

은혜의 눈물
감사 감동 회개
돌아오라 기도 충성
내가 할 수 없을 때 주님은 하신다

상식을 넓히려하지 말고
기도로 침묵하라

내 뜻을 요구하는 것이 아닌
그분의 뜻을 알려고 하라

사모하라
할 수 있는 대로 감사하라

표현할 때 기쁨은 증폭된다

대답

하늘이 묻고 땅이 대답할 시간
하늘이 던지고 땅이 받을 시간
큰 음성 들리고 바람이 노할 때
어디에 있을지

유혹하는 소리에 귀 쫑긋해도
진리가 아니면 소용없으리

말씀은 질문하고 나는 서성일 때
세상 끝 날이 도래하리

공중에서 나팔소리 들릴 때
대답을 해야 하는데
어떤 일이 닥치더라도
초점을 흐리지 말라
첫 고백의 대답을 잃지 마라

그 피를 들고 기다려
복된 음성에 대답하라

시련의 벽(壁)을 넘어서

무엇이 되고자 함이 아니요
무엇이 되었다고 자부하는 것도 아닌데
무엇이 그리 서글퍼 울더냐

주님은 언제쯤 내게 오실까
조급해 할 시간 있으면 엎드려 그분을 만나라
입 벌려 구할 때 채우시리

도움을 바랄 때 도우시되 더 큰 것으로
바라고 원하던 크기보다 더 풍성함으로
더하시리니 기도는 경험이다

Part 3

무릎 꿇어

지금

살아있는 것에 대한 대화와 대응이 감사
좌절하지 않고 다시 일어서는 것은 용기

기도하여 다시 찾으리라 하는 것은 믿음
지금 하는 것은 결단이요
나중에 하자는 것은 어리석음이다

노래를 잘 하려면 연습이 필요하다
생각만으론 성취할 수 없다

영원히 시도하지 못하는 허상을 깨고
지금이 기회요
가장 현실적이다

생각날 때 하라
머뭇거리면 지금은 지나간다

살리는 영(靈)

맡은 사명으로
언제나 마음이 굳건해 진다면
언제라도 계명 가운데 빛을 발하게 되리

영은 우리 가운데
늘 밝음으로 나타나는 현상
그 가운데 거하면 그분이 인도하시리

막막한 상황에서 일어서는 것이 신앙이며
엎드려 구하는 것은 지혜요
찬송은 응답의 표현

머뭇거리는 자리를 박차고
숨 쉴 곳을 찾아 나서라
그분만이 살리시리라

반짝이는 성

하늘과 땅의 경계를 두시고
바다의 끝을 정하신 그분이
우리의 삶을 주관하시니
빛의 자녀는 항상 그 빛에 거하도다

행복을 넘어 구원을 넘어
신앙이 되어
언제나 반짝거리는 성(聖)
그 안에 거하리

우슬초의 사랑

문설주와 좌우 인방 피를 묻혀 죽음을 피하라
이스라엘 첫 새끼를 구하라
유월절 어린양의 피로 구원을 이루라
모진고통 압제에서 나오라
부정한 모든 것에서 정결함을 얻으리
우슬초[2]로 척박한 삶을 헤쳐
회개로 정결함을 이루리라

가장 낮은 곳에서
담벼락 타고 올라 얻은 이름
우슬초로 겸손 이루어
세상을 다시 세우신 이름

내가 목마르다
십자가 위에서 절규하신 그 음성
신 포도주를 우슬초에 메어

2) 牛膝草, hyssop, 유대인들이 귀신이나 재앙을 물리치는 의식을 할 때 제물의 피를 묻혀 뿌리는 데 사용하였다는 식물

해면에 적시고 강한 향으로
죽음의 길을 달래 울부짖던 소리

막혔던 하나님과 길을 여시고
사랑의 통로가 되신 주 예수여
내 피 받아먹어 영원한 음료야
내 살 받아먹어 영원한 양식이야
나지막한 사랑의 음성으로
영원한 생명을 주셨도다
우슬초의 얽힌 그 사랑을 나 찬양하리
그 이름으로 영원히 살아가리

나무십자가 위에서

떨며 바라본 십자가
눈물도 거친 숨소리도 메말라 버렸네

원망도 연민의 정도 사라져
잿빛 하늘가
거센 비바람

내가 죽어야 네가 살아
절규하시며 외치는 숨소리
왜 듣지 못하는가?

그 푸르던 날을 기억하며

꿈 많던 날을 뒤로하고
바람 따라 구름 따라
달려가는 늦은 오후

두 장의 카드를 내밀고 서 있는 모녀
멀리서 지원에 나서고
새로운 탄생을 알리는 기대감에
아픔의 정도는 참을 만하다

그렇게 두어 시간이 흐르고
다시 서너 시간을 기다려
짝을 만난 각시의 새 신발

눈에 넣어도 아프지 않는
맞댄 살결이 낯설어도
백날만 지나면 다시 웃으리

감동을 넘어

감동을 줄 수 없다면 침묵하라
설득할 수 없다면 들으라

참을 수 없다면 찬송하라
넘을 수 없다면 엎드리라

건널 수 없다면 팔 벌리라
정보가 없다면 청취하라

진리가 없다면 돌아서라
구해도 얻지 못하면 이기요
끊임없이 중보는 이타적

말로 하지 말고 말씀으로 하라
가르치지 말고 전하라

왜 그리하셨나요

찬양의 제사가 소중함을 알아갈 때
목소리를 높일 자신이 있느냐

기회가 주어지고 자리가 있을 때
바라보지 않았음을 기억하고 있느냐

찬양을 하면 인생의 색깔이 달라져
그럴지라도 나는 대답할 수 없습니다

분명한 결정을 하지 못한 한 날이
날아갑니다
왜 그리하셨나요?

무릎 꿇어

가장 깊은 곳으로 들어가
가장 낮은 자세로 구하면
가장 높은 뜻을 알리

나의 소원이 아닌
주의 뜻을 알 때
큰 기쁨 가득하리

작정기도가 끝나고
이제 기도하며 살리라 다짐하는 시간이
진정 작정기도가 아닌가!

영원토록 찬양해

죄의 근성 버리고 말씀으로 거듭난 자
와서 내 안에 거하라
영원한 평안주리
주님은 세상 죄를 담당하사
하늘사랑 용서로 화답해
주의 자녀 삼으셨네

독생자를 희생시켜 수렁에서 건지시고
죄악에서 자유 함을 주시었네
진리로 거듭난 생명 주셨으니
그 이름 사랑의 주님
영원토록 찬양하리
땅에서 하늘에서 영원토록 찬양하리

다음

오만방자함을 거두어 내고
엎드려 하늘의 뜻을 알라

기도로 원을 풀고
작정하는 시간만큼 응답은 분명 있으리

나의 상식과 경험을 내려놓고
얄팍한 지식에 의존하고 무시로 살아온 시간 앞에
겸손히 무릎으로 나아가 빌라

옳고 그른지는 지금 따질 때가 아니요
두 가지 책을 펴놓고
스스로 자기의 길을 선택하는 때가 오리니

누가 믿음을 논하며 진리를 말하겠는가
무릎으로 지혜를 얻고
겸손함과 진리를 따라 믿으면
다음이 있으리

섬김

섬길 자가 있어 좋다
새로운 화분을 받아 들고
때 따라 물주고 거름 주고 잘 키워
열매 맺게 하리라

기도로 자양분을 받아
말씀의 거름 주고
성령 충만으로 가득한 열매를 맺으리

겸손한 자되어 섬기리
엎드리는 자가 되리
아름다운 신앙의 모습되리

신앙(信仰)의 나이테

어언 60년이다
어릴 적 선생님은
지금 무얼 하시며 살아갈까
넓적한 바위에 앉아
우리 반 반사로 수고하신 그 손길은
누구의 손을 의지하며 살아가려나

장로(長老)

낮은 자리를 망각하고
존경의 자리로 알고 있다면

얼마나 불행한 삶을 사는지
연연하는 자리가 무덤이 되리

무릎으로 살지 않으면 인생의 무릎을 꿇리라
처음 맹세를 붙들고 살아라

더 겸손히 엎드리라

말로 가르치지 말고 말씀으로 살기를 힘쓰라

인생

우리의 삶이 아름다운 것은
영원하지 않기에
날개를 달고 달려가는 게지

잠시 나온 소풍처럼
물 맑고 풍광 좋은 산길 따라
보물찾기라도 하는 즐거움은 한 때

멀리 보이는 풍경이 아름다움이지
상처도 보이고 세월에 깎여
질곡 진 인생에 한줄기 빛이 된다면
그보다 값진 무엇이 있으랴

그날

눈이 부시게
사무치며 간절하도록
우리는 자리를 지켜야 했다
현장에 몸을 내놓고
정한 시간, 정한 장소에
산 제물이 되어야 한다

전쟁, 기근, 지진, 온역
그 어떤 상황이 와도
믿음의 주요 온전케 하시는 주님을
바라봐야 한다

육신의 마지막 정거장에서
천국행 열차로 갈아타는 그날이 되도록

더 좋은 날

학생이란 신분으로 다시 살아간다면
꿈이 달라졌겠지

하굣길 버스 안에서 만난 여대생이
어떤 행복을 이루며 살지 모르나

단지 꿈이요 지난 일이었다고
생각하고 더 좋은 날이 오늘이라고
믿음의 바른 경지를 가고 있다면
청춘인들 부러우랴

"오호라 너는 곤고한 날이 이르기 전에
너의 창조주를 기억하라"

꿈

숙제하듯이 꿈을 꾸고
버스 안에서도 힐끔거리지 않고
한 방향으로만 가는 시계바늘처럼
언제까지나 버리지 않으면
내일의 꿈은 친구가 되리

마음을 바로 해
생각을 바로 해
행동을 바로 해
뜻을 바로 해서 이룰 수 있다면
누구나 꿈을 꾸겠지

날개

꿈의 날개를 달고
달려가는 청춘의 열차는
어디에서 멈출지 몰라
우주를 향해 쏘는 화살처럼
태평양을 헤엄쳐 가는 고래처럼
건너고 말리

대기권을 날아가는 누리호가
청춘을 실어다준다 해도
어떤 인생에게 날개를 달아다 주며
무엇을 소통할 것인가
새로운 의미를 부여하지만
억조창생의 신비함을 찾을 수 있을까

신념과 신앙

의지가 크면 신념
의지조차 맡기면 신앙

나의 생각이 지배하면 신념
주의 생각이 가득하면 신앙

경험을 앞세우면 신념
경험마저 겸손하면 신앙

의지하고 고민하면 신념
의지하고 기다리면 신앙

말만하면 신념
기도하면 신앙

청포리 사랑

예닐곱 강경을 오가던 나룻배는
얼어붙은 강물에 발이 묶이고
먼 산 아지랑이 피어오를 때 기지개를 켠다

붕어 떼 따라가며 풀피리 불며 놀던 곳
청포리의 정든 옛길을 언제나 찾아볼까
그리운 그 사랑을 꿈속에서 만나리라

천대를 이어가 대농의 맥을 잇던 곳
세상을 바로 알리는 뿌리가 젖줄을 타고
금강을 찾아들면 청포리를 만난다

붕어 떼 따라가며 풀피리 불며 놀던 곳
청포리의 정든 옛길을 언제나 찾아볼까
청포리의 그 사랑을 꿈속에서 만나리라

*부여의 작은 마을 청포리를 배경으로 가사를 쓰다

아! 영월

태고 적 강줄기 따라 휘돌아서
평창주천 서로 만나 서강이라
짝사랑 하던 내님 꿈에 보고
세상시름 잊었는데 청령포
관음송이 천년사랑 불러오네

노오란 은행잎 쓸쓸함을 더해
요선 암 너른 바위 한숨에 올라
대한반도 바라보니 왕실생각
외로이 떠있는 배 한척 무릉도원
데려다 주려나 데려다 주려나

*단종의 유배지 한 많은 영월을 배경으로 현지인의 부탁을 받아
가곡에 가사를 쓰다

3차 맞았어?

기간만료가 얼마 안 남았네
2차 방역패스가
이러다가 마트도 못가는 거 아니야

방역패스 기간만료가 5일 남짓하고
백신 3차를 접종하러 가는 길
이젠 안심해도 되는가?

수십 명이 죽어 나가고 천명 가까이
감염이 되어 격리하고 병상은 모자라 난리
어디에 숨어 있을 수도 없고

국가가 관리하고 통제하는 건 좋으나
이렇게까지 해서 사회주의화 된다면
얼마나 기독교를 탄압 속에 몰아넣을지

차별금지법 제정으로
선교가 멈추는 일이 없도록

초청음악회

해가 바뀌고 나서야 통화를 한다
살짝 감기기운이 있는지 목소리가 걸걸하다
감기냐고 물으니 안 그래도 전화하려고 했단다
아무래도 피해 줄까봐 오늘 쉬려고요
대신 갈 사람을 물색 중이란다

모처럼 이웃초청음악회 티켓을 놓고
누굴 모실까 하다가 초대된 사람은 엉뚱하다
그래도 귀하게 모시는 마음 주님의 마음일까

두 사람이 아니 두 하늘이 왔다
단순히 음악을 즐기려고 온건 아니다
영혼의 깊은 갈급함까지 스며들도록
오늘 귀를 열어 주시고 주님의 창조함과
운행하심을 느끼는 찰나가 되게 하소서

"한 영혼이 천하보다 귀한" 시간되게 하소서

봄아

이대로 삼월이 왔으면 하는 바람이
희망을 타고 날갯짓하면

감춰두었던 꿈의 주머니를 열어놓고
달려가 손아귀를 쥐고 대려다 놓으리

수줍은 봄

아지랑이가 따스함을 더해
개여울에 스치면
그윽한 시골의 향기가 먼저 콧등에 닿는다

외양간에 쌓였던 거름을 걷어
부지런한 동네 아저씨의 마차엔
풍년이 가득한 꿈을 싣고

이랴 어서가자 희망을 노래하네

"울며 씨 뿌린 자는 가득한 열매를 안으리"

허무

거꾸로 노력을 경주하다가
잘못을 안다면
달려간 시간만큼의 보상은
누가 하나

한껏 부풀어 가슴 내밀고
마른 수건을 짜내는 심정으로
애를 써 수양을 해도

고뇌하고 만나지 못하면
세상을 내려놓고
득도한 게 소용가치가 있겠나

“세월을 아끼라 때가 악하니라”

우리 만날까

그리움이 누워버린 채
잠든 것은 아닐까

보름이 지나는 달빛에
외로이 서있는 전봇대
우두커니 나도 서있네

그렇게 보고 싶어 손짓하는
모습을 상상이라도 할라치면
하던 일 멈추고
달려가련만

왜 가고오지 못 하는가?

왼쪽여행

빨간
이층버스에서 바라다 본 하늘은
두 뼘 더 가까이 내려와 앉고

쑥
내려앉은 전철은 지하 암반수가 흐르는
냇물을 지나
통통배보다 몸짓이 큰 연락선을 타고
섬나라로 간다

내국인은 오른쪽, 외국인은 왼쪽에 줄을 세워
출입국절차를 밟는다
여기는 마카오
내리실 분은 왼쪽입니다

지금 갈게

오래 기다리지 않게 할게
돌아갈 집이 있다는 것이
얼마나 행복이고 기쁨인지
그 집을 가려고 억울한 일도
내게 주신 기회라고 여기고
슬픈 일을 당해도
내게 갈 집이 있노라 참아내며
기다려 온 세월의 무게

남을 사랑해보지 않고
사랑을 논한다는 것이
삶에 얼마나 큰 모순인지
달아오른 감정이지
진정한 사랑은 아니라고
함께 가자 우리 집으로 가자
영원한 주소인
천국에서 주와 거닐어 보자

Part 4

찬양하고

이모

영롱한 눈망울이 맑은 옹달샘 같아
불그레한 얼굴을 감추고

아들 하나 낳고 싶어
발버둥 치며 지나 온 날들이 얼마인가

그렇게 넷째를 보고
믿음으로 얻은 아들자식 위해
무엇이 아까우리

한번 맡겨준 일은 세월이 흘러도
책임 있는 자세로 임한다
그것이 어느 곳이라도
주님의 기쁨이 되기를 원하는 그 마음
어찌 사랑하지 않으랴

헬몬 찬양대

언제나 그리운 고향처럼
이제는 먼발치에서 바라보는 신세가 되어
그래도 끄나풀이라도 잡고 싶어
탈퇴를 미루고
머지않아 다시 찬양을 할 수 있으리라
소망을 주머니에서 만지작거린다

코로나가 가져다 준 찬양대의 모습도 달라졌다
듬성듬성 앉는 것과 찬양을 해야 할 얼굴들이
보이지 않고 다른 직분을 감당하기 위해
못 앉는 걸까

소속된 그룹에서 열 명을 모집해
이렇게라도 동참하고 싶어
기관장들에게 공식제의를 한다
충성은 오직 영혼 살리는 거라며
적극적인 자세는 안 보인다

그래 영혼 살린 다음에는
무얼 할 건대 되묻는다
전도 한단다

그게 찬양이라고

“호흡이 있는 자여 찬양할 지어다”
명령을 선택으로 이해가 가지만 착각이다

점등예배

하늘 향해 뻗은 45미터의 장대한 높이에
오색찬연한 등을 매달고
주님오신 의미를 되새기는 점등예배

이렇게 한파를 뚫고 오시는
주님의 오솔길에
작은 손을 떨며 서있는 많은 사람들

열을 맞추어 늘어놓은 의자에 걸터앉아
믿음의 주요 온전한 주를 바라보는 시간

내 마음에 등불로 오신 주님
아기예수가 아닌 성령의 역사하심으로
언제나 동행하시는 그 분을

나 살리려 죽음을 계획하신 하나님
그분의 성탄을 내 마음에 맞이하리

스치며

요즘 찬양대 안하세요?
스치며 던지는 외마디

기관장을 맡겨주셔서요
그렇군요 영혼먼저 살리세요

그중에 하나가 아닌
하나 중에
나의 주님이 되시고

아무도 흘리지 않고 왕 노릇하려고 했으나
오직 주님만이 피 흘려 인류의 죄를 해결하시고
날 살리신 구세주 앞에

찬양의 산 제사를 어찌 망각하랴

궁금하지만

눈이 맑아
꿈에서 나온 주인공은 훤칠하다
조금씩 활동 범위가 넓어진다
줄도 맞추고 발열 체크도 하고
성도들을 향한 인사도 반갑게 맞아주고
지역의 성도들 자리도 보살핀다

정식으로 인사를 나눈 사이는 아니지만
매 예배 때마다
저녁기도에 가끔씩 마주치고는 한다
눈인사 정도 그것도 어쩌다 하지만
각자의 할일이 있기에 지나치기도 한다
언제부터인가 내가 아는 교구장의 뒤꽁무니를
졸졸 따라다닌다
무슨 연고가 있는 게 분명하다

잠실체육관

여름밤 구국기도행렬이 줄지어 늘어섰다
버스에 나누어 타기위해 또 다른 줄을 선다
어린 자녀를 데리고 온 젊은 새댁도 나라를 위해
기도행렬에 동참한다

이렇게 나라사랑을 하는 모습을
아이에게 체험케 한다면
머지않아 한반도를 넘어
세계를 놀라게 할 것이다

그 무덥던 여름날에 조금만 걸어도 땀이 나던 날
늘어선 버스가 30여 대는 되는 엄청난 행렬이다
88올림픽 대로를 잘 달리다가 퇴근길과 겹치어
느림보가 된다
이러다가 기도회 시작되는 거 아닌가?

기도 굴

마음은 원이로되 육신이 연약한 고로
나서지 못하는 어리석음은 없어야 한다

마지막이라고 생각해 본적이 이때인 걸
나를 들고 누가 나오든지
구하여 얻든지

사생결단을 하고 기도 굴에 들어가 나를
버리니 찾게 되는 비결을 깨닫는다

온갖 체액으로 나를 씻은 다음에
나타나시는 주님
혀가 말리고 7전8기 끝에 찾아오신 성령님
땀범벅이 되고 목은 쉬어 나오지 않지만
이렇게 방언의 은사로 환희를 느끼게 하시니
눈물범벅이 되어 감사의 찬양을 올린다

그 후 공중전화박스로 가서
집으로 전화를 하는 새벽길

아무도 없는 빈 터를 헤집고 뚜뚜 찌르릉
전선을 타고 집까지 가는데
여보세요 나야
아닌 밤중에 홍두께 라고 누가 말했던가

오밤중에 전화벨과 쉰 목소리로 나야 하니
얼마나 놀랐겠나 그건 상관할 바가 아니다
'나 방언 받았어' 뭐라고? 서너 번을 말해
간신히 확인을 시키고 더 기도하고 내려갈게

배추밭

김장행사에 참여하기 위해
1톤 화물차를 동행하여
흰 돌산으로 향한다

구원의 주님께
일억만 분의 일이라도
감사하기 위하여
아니 뭇 영혼들의 생명을
살리기 위해 달린다

사랑의 실천이라는 게 이런 거라고
하늘만 알고 있는 독백을 하며
고속도로에 애마를 올린다
하늘 위를 날아가는 자동차를 상상한다

기관장이 되어

기관장이 되어
충성을 하게 되어 감사하다
어떻게든지 기도하여 살려야 한다
네 영혼이 부르짖는 소리를 들어라

애타하시는 주님의 심정을 알아
망하지 말라고 지옥가면 안된다고
한 가닥의 실타래라도 부여잡고 싶은 마음
왜 모르랴

한 사람의 식구가 늘어갈 때마다
뿌듯함에 눈시울이 적셔 오는
감사 그리고 찬양의 멜로디
주님도 이런 심정이셨나요?

나를 내려놓고
섬김 이로 살아가는 이들의 진솔한 모습
왜 보지 못하고 살았을까

예루살렘 문화 홀

젊은 시절에 불러대며
신앙의 고백을 했던 복음성가를
원곡복음가수가 부르는 현장에서 듣는다
나의 등 뒤에서, 주님여 내손을, 순종,
수십여 년의 세월이 흐르고
눈앞에 펼쳐지는 찬양의 향연
동시대를 살아온 복음가수의
산더미같이 쌓인 간증과 현장이야기
어쩌면 나의 이야기가 될 수도 있다

오직 신앙 하나로 살아보겠노라 다짐하고
변할 때마다 스스로 말씀의 채찍질을 하고
원점으로 돌아와 숱한 나날을 찬양의 사역자로
살아간다는 게 그리 쉬운 일인가?

일흔의 나이에도 병원 한번 가지 않고
주님이 사용하신 것에 감사를 하던 중

작년에 예기치 않던 암수술을 받고
빠른 회복을 통해 주님의 사랑을 더 깊이
깨달아 내가 이렇게 살 것이 아니라
좀 더 진솔한 찬양사역을 하자라는 다짐을 하고
바로 일어서 오늘 찬양의 자리로 왔다는
감명 깊은 이야기에 찔끔 눈물을 흘리고
사력을 다해 불러대는 찬양의 향기가
오늘처럼 열기가 있었을까 싶다

넘어져 쓰러질 때마다
주님이 손잡아 일으켜 세운 나날들
눈물로 빚어낸 삶의 드라마다

세종 체임버 홀

가족이 된 사위를 초청하여
세종체임버 홀을 찾는다
그간에 시가 가곡으로 탄생하여 그중에 하나
{사랑 너머}가 연주되는 순간이다

정상급 성악가와 가야금 피아노의 협연으로
음악회를 빛낼 준비가 되어 기다리는 순간이다

중심에 서 있다는 것이 이런 건가
코로나를 피해 오랜만에 가족나들이라
설렘 가득 층층계단에 묻어두고
하나씩 꺼내보는 순간의 환희

로비에서 시인의 티켓봉투를 열어서
좌석 표를 나누는 순간의 행복
얼마만이냐

안디옥 성전

전도보고대회에 참석한 직분 자들이 모였다
주어진 양식에 의거해
책임자들이 강단에 오르내리며
저마다 열띤 음성으로 경과보고를 한다
재적 몇 명, 출석 몇 명, 장기 섬김 몇 명,
현재 몇 프로 달성
한편 재미도 있고 또 다른 다짐도 해 본다

형식을 넘어 진정한 영혼사랑을 위해
머리를 조아리고 살아가는 사람들
무릎은 겸손한 사람이 하는 첫 번째 행위
오만방자한 자, 무분별한 자는
무릎을 절대 꿇지 않지
자기의 경험이 산 스승으로 알고
무엇이든지 선생이 되려하는 어리석음

수원기도처

교구장, 지역장이 찾아왔다
지금은 낯설진 않지만
그때는 낯선 명칭에 설명을 듣는다

헌금봉투 보관 장을 짜 달란다
도면을 스케치하며 이렇게 하면 될까요?

두꺼운 재료가 촘촘한 간격을 이루며
완성되는 순간 지긋한 주님의 모습이 떠오른다

그 후로 몇 번을 더 찾아와
수납의 효율화를 위해 상담을 하다가
현장을 봐야겠다고 해서 약속을 잡고
방문하여 좁은 계단을 오른다

오전 기도를 마친 대여섯 명의 성도들
눈빛은 영롱했다

방석이 여기저기 깔려 있어
정리를 하는 사람도 있고
무엇보다 본당에서 많이 봐온
강대상과 앰프시설이 정겹다

오가는 시간을 줄여서 한마디 기도를
더 하라는 각 지역의 기도처
아름다움이 묻어 나오는 산실이다

동탄 성전

우여곡절 끝에
준공예배 및 입당예배를 드리게 되어
서울에서 버스로 10여 대의 행렬이
동탄 성전을 향한다

아침 일찍 서둘러 도착한 궁동성전 앞마당
벌써 성도들로 붐빈다

오는 순서대로 각 차량에 올라 비전을 꿈꾼다
주여! 동탄 지역에 주님의 계절이 오게 하소서
우리가 행사요원으로 가는 게 아닌
예배자로 주님과 대면하게 하소서

피로 값 주고 세우신 성전
죄 많은 이들로 북적거리게 하사
맑은 샘물처럼 죄의 찌꺼기는 가라앉히고
사람 살리는 생명수로 거듭 나게 하소서

인격적인 만남

주님은 인격적인 분이시기에
누구나 그 앞에 나아가려면
순수해야 한다

어떤 이는 말 한다
그렇게 해야 나아갈 수 있냐고

인본주의로 상식적으로 만나는 게
아닐진대

예를 갖추고 만나려는 게 아닌
구원의 감격으로
감사함으로 이루어져

매일 새롭게
영혼의 맑은 음성을 듣는 자리로 나아가
구원의 이름 예수를 만나야 산다

섬길수록

섬길수록 사랑이 짙어지나니
그 사랑을 체험하지 않고야
그 사랑을 어찌 말할까

상식으로 지식으로 오랜 경험으로
이 정도는 해낼 수 있다는 것이
자만인 줄 모르고

섬길수록 은혜가 깊어지나니
그 은혜를 입지 않고서야
그 은혜를 어찌 말할까

감사로 충만으로 오랜 기다림으로
내가 해낼 것은 아무 것도 없나니
내안에 은혜가 있어서가 아닌
주님이 주신 은혜를 나눔으로
환해지나니

나는 종(從)이로소이다

나는 그저 종이로소이다
종으로도 주님 뵐 수 있으니
종으로 살아감도 감사하나이다

노동자가 아닌 청지기로서의 삶
의무를 다하기 위함이 아닌
감사와 감격의 행실로 나아가

나를 기도하게 하는 것은
오직 기도임을 깨닫는 시간
이제라도 알게 하시는 친절함
그 자리에 있겠습니다

나는 그저 종이로소이다
필요하시면 언제라도 사용하소서
버림을 당하더라도
사용하신만큼 감사하나이다

기다리는 사람

주님의 신부로 살아가기 위해
순종을 배우고 충성이 줄을 잇는 곳
예배가 삶이 된 사람들

그 안에서 고요를 찾고 거룩함을 불러 오는 곳
내가 있어 행복해 지는 공간
만나야 웃음을 짓고
손잡아야 따스함을 나누는 곳

중앙계단 앞에서 기관식구들 옹기종기 모여
밀린 이야기하며 광고도 하고 기도로 마무리
만날 기약을 하고
또 기다리는 사람으로 돌아간다

행복을 기다리는 게 아닌 천국백성으로
살아가는 긴 기다림이 습관이 된 사람들
마스크너머 눈만 보아도 웃음기 가득한
그대가 있어 좋다

신부의 믿음

일사각오로 외치시는 불꽃같은 음성
가슴이 떨리지 않으랴

천상의 소리가 아니고서야
어찌 믿음이 안 피어나랴

사모하는 마음은 오직 신랑 뿐
기다리는 시간은 설렘을 넘는
믿음의 행보

준비한 만큼 맞이하는 분량이 다르고
떨며 부르짖던 나의 모습도
주의 체휼로 나를 감싸리니

천년이 하루라도 그 품에서 살리

우리 천국가자

첫 번째 들림 받아야 영생이야
천년왕국 뒤에는 희망이 쇠퇴하는 거야
공중에 강림하실 주님을 맞이해야
진정 신부로 인정받는 게야

두 번째 심판은 불 못이야
생각해봐
철철 끓는 유황불에
누가 견디겠어

"심은 대로 거두고, 행한 대로 갚으리니"
내가 주님을 경외하는 마음으로
예배를 드렸는지 적절하게 교인으로서
참여를 했는지 가릴 때

나락으로 떨어질지 알곡으로 곡간에 들어갈지
직고하여 심판은 이루어지는 법

자유하려 말씀 따라야지
상식 넓히려 말씀 배우는 게
어리석은 게지

과거에 어떻게 살았는지 묻지 않을게
남은 생이라도 나를 따라 와 바꿔 줄게
거듭난 삶의 길을 열어 줄게
우리 천국가자

가장 큰 충성은 예배

어제 삼일예배 드리신 분들은 아시겠지만
이제 어둠을 뚫고 코로나를 헤치며
더욱 방역을 철저히 하여
현장예배를 드려야 한다고 강조하셨습니다
불가피한 사정 있는 성도를 제외한
교적에 올라있는 모든 성도는
성전에 나와 예배해야 합니다
믿음으로 살겠노라 모인 우린
하나가 되어야 합니다

악한 마귀사탄귀신의 역사에서 놀음을 그치고
용기백배하여 나와서 세상과 죄를 이깁시다
한 영혼이라도 좌절하거나 포기하면
지는 것입니다
이번이 마지막 권면의 말씀이 되더라도
누굴 원망하거나 후회하는 일은
어리석은 일을 선택하는 것이요

천국행을 포기하게 되는
최악의 날이 되면 안 됩니다
정신 차려 예배드립시다
살려고 나오신 저와 여러분 아닙니까?
36주년 설립 일을 기점으로
흑백을 가리신다고 까지 하는 것은
심판이 아닌
한 영혼이라도 살리시겠다는 사랑입니다
누가 뭐라 해도 우리는
한 영혼도 낙오하는 분이 나오지 않도록
오늘 마음가짐을 새롭게 하고
교회 가서 예배드려야지 각오하고
나오기만 하면 간단합니다
"귀 있는 자는 성령이
교회에게 이르는 말씀을 들을 지어다"

금요 철야부터 시작됩니다 나와서 예배 합시다
우리가 하는 충성 중에 가장 큰 것은
예배입니다
예배에 실패하면 신앙을 논(論)할 수 없습니다
간절히 바라오니 제발 듣고 나오세요
주님이 문 열어놓고 기다리십니다

망하지 말라고 애타하시는

그 음성을 외면하지 마세요

앉은뱅이, 소경, 귀머거리, 혈루병, 귀신들린 자,

가난한 거지 나사로

이보다 못한 나 같은 사람도 살려고 예배합니다

간절함을 넘어 귀하니까

예배를 빼놓고 무엇을 믿는다 말인가

나는 주님에게만

나는 주님에게만 열리는 문입니다
마음의 빗장을 풀고 나아가는 유일한 통로입니다

죄의 무게를 덜어준 사연이 있기에
피 흘린 사실 앞에 겸허한 마음으로 서 있겠습니다

돌고 돌아 인생의 제자리에 머물지라도
은혜의 둔덕을 넘은 세월을 탓하지 않겠습니다

나는 주님에게만 열리는 문입니다
마음의 빗장을 풀고 들어가는 유일한 통로입니다

영혼의 맑은 소리가 내 귀에 들릴 즈음에
주의 곁에서 찬송하리니
나는 주님에게만 열리는 문입니다

유월의 항구에서

얼마나 더 싸워야 세상시름 잊고
얼마나 더 참아야 광명한 새날을 맞을까
부질없는 일이다
기도의 자리로 주님을 멈추게 하라

하루 한마디만 주님 뜻 알아도
이런 비극은 없으리
파도의 덧셈과 바람의 뺄셈이
아름다운 포구를 만들 듯

아픔과 위기에서 건지신
주님께로 나아가
참회의 눈물과 감사의 찬양으로
주님을 멈추게 하라

굽은 인생 다시 일으켜
사월에서 유월까지

오십 가지 열매를 기다리며
멈춰 서신 주님을 일하게 하라

바다가 내어 준 길로 고깃배가 들어오듯
기도의 길을 여신 주님께
응답의 만선을 싣고 기뻐하고 감사하자

유월의 항구에서

그길로

먹으면 죽는 거 알면서도
평생 땀 흘려도 좋으니 유혹에 이끌려
만행을 저지르고

짐승의 피 담아 용서는 구해도
속죄는 받지 못해

갈급한 인생위해 고난의 길
예언된 그대로 오르신 언덕

마른 자갈밭
하늘은 먹구름 가득하고
성난 회오리바람 누굴 삼키려 하나

고난받아 나의 고난 면케 하시고
징계받아 나의 징계를 면케 하사
큰 사랑 이루셨네

말씀의 레이더로 나의 주초를 쌓고

기도의 미사일로 사단마귀귀신 물리쳐

스텔스[3]의 성령으로 주님 뜻 알리

그길로 나도 가리

3) 스텔스(Stealth)>은밀함, 다양한 탐지수단에 들키지 않는 것

알았습니다

부부언쟁하고 교회와 예배하면
저절로 용서받고

노부모 경시하고 자식에겐 엄하고
그것이 가장(家長) 역할인 줄

상처주고 나는 뒤끝 없어
말하면 되는 줄

마스크와 가면까지 쓴
모습이 보일까 막 해도 되는 줄

모임에 발언권 없어도
우기면 되는 줄

그래도 되는 줄
알았습니다

나의 고백

경외하다가 죽게 하소서
고백하며 산 베드로처럼

구령열정으로 끝까지
복음전하며 살다 간 바울처럼

성도를 일으키며 목숨 바쳐
주님 사랑하다간 요한처럼

나는 어떤 사랑하다 갈까
누굴 경외하며 살까
누구에게 복음 전할까

받은 사랑이 얼만데
베푸신 사랑의 분량이 얼만데
망각하고 거절하고 외면하며

살다 보면 끝은 어디며
내 영혼의 안식처는 어디에 둘까
뒤돌아보며 뉘우치는 자리에 후회는 없으리

몰랐습니다

가정생활이 신앙인 줄

미련한 자식이 무시 학대해도
오래 참으면 되는 줄

반말과 파괴성 언어를 사용해도
속으로 삭이면 되는 줄

순종과 배신의 갈림길에서
감싸면 되는 줄

어디서든 내 믿음만 간직하면
소망 중에 주님 만나는 줄

기도 안 해도 알아서 채워주고
꿈만 있으면 천국 가는 줄

세월 흘러 보내면 다 알게 되고
의인되어 만족할 줄

서서히 빠져드는 세상향락
자기만족 지옥 길이란 걸

그땐
몰랐습니다

두 손 들고

두 손 들고 다 같이 두 손 들고
주여 삼창하며 기도합니다
주여! 주여! 주여!

성령 충만하여 주님의 뜻을 알게 하소서
능력 받아 주의 복음을 수중 들게 하소서
말씀의 주인이신 주님
영이 육을 지배하게 하사 말씀들을 때
졸지 않고 지루하지 않고
내게 말씀하시는 것에 집중하여
듣게 하사 행하는 믿음주소서

마지막 유언처럼 전하시는 주의 사자
강건하게 하사 말씀이 중단되지 않고
힘 있게 능력 있게 권세 있게 영력 있게
주님 사용하시고
주님심정 구령열정 예수생애가 재현되는

사도행전의 역사가 이루어져

악한 영에 사로잡히고 귀신들린 자

각색 질병을 고치시고

아멘으로 성령체험하게 하소서

뿌리가 흔들리지 않는 믿음주소서

기관회원

아*병원에 급히 입원하여 며칠이 지났는데 피와 수분이 동시에 빠져나가는 악성장염으로 안타까운 소식을 접한다. 기도가 저절로 나온다. 주님 이 젊은이를 일으켜 주옵소서. 지병으로 쓰러져 누가 돌볼 사람도 마땅치 않은데 혼자서 40도에 가까운 고열을 참아내며 버티고 있습니다. 기관회원들에게 공지를 하고 집중기도를 부탁하며 함께 이겨낼 것을 주문한다

주님께서 초보회장인 내게 명령하여 부르짖어 살려내라고 하신 것이다. 임원들에게도 기도하여 살려내자고 기도하자고 부르짖어 주님이 하셨다고 간증하도록 전달을 하였다

"지금까지는 너희가 내 이름으로 아무 것도 구하지 아니하였으나 구하라 받으리니 너희 기쁨이 충만하리라" 약속하신 말씀에 의지하여 릴레이 기도가 이어지고 있다

주여! 구하오니 이 젊은이를 일으켜 주옵소서. 주님이 상하시고 채찍에 맞아 나음을 얻었다고 하셨으니 그 명예를 걸고 주님이 고치시옵소서. 속을 편안케 하시고 열이 내려가 잠 잘도록 피와 수분이 빠져나가지 않도록 창조하신 주께서 막아주소서

교회신문사, 시인 인터뷰

-2022.5.14.(토) 11:00

1. 올 초 신임회장으로 임명받은 소감은 어떠셨나요? 회계연도 초반에 이모저모 분주하셨던 일화도 있다면 말씀해 주세요.

연세 가족이 된 지 7년 만이다.

장로로 충성하던 교회를 옮겨야 했던 이야기를 해야 연결성이 더 깊어질 것 같다. 슬하에 두 딸이 있는데 큰딸은 청년회 부장을 하기 위해 교회 근처로 집을 옮겨 5년여 동안 충성을 다하다가 지난해 주님의 인도하심에 교회에서 만난 청년과 결혼하여 주안에서 기뻐하고 있고, 작은딸은 고등부 교사와 글로리아찬양단에서 충성을 수년째 하고 있다.

큰딸과 작은딸이 "아버지 어머니 말세에는 영혼 살리는 교회에서 신앙생활 하셔야 천국 가요." 수년을 설득하며 각종 집회에 참석을 시키더니 끝내는 새가족 등록카드를 1년여 동안 성경책에 끼고 있다가 어느 날 삼일예배 예물 시간에 등록카드를 예배위원에게 건네어 등록되었다. 그날따라 등록자가 혼자라서 담임목사님께서 저를 호명하시더니 "등록하셔서 연세 가족이 된 것을 주님의 이름으로 축복하며 환영합니다." 이제부터 연세인으로 살아야 하는구나. 등록하기 전과 등록한 후가 이렇게 마음가짐이 달라지는 것을 처음 느꼈고, 정신 똑바로 차려서 신앙 생활해야 하겠구나. 주님의 인도하시는 대로 따르겠습니다.

그날 이후 각종 모임과 예배는 한 번도 빠지지 않고 말씀 따라가리라 참석을 하고 부지런히 익히고 배워나갔다.

올 초 51남 전도회 기관장으로 세우신 이유를 생각하면 무엇이든지 빠지지 않고 참석하고 교회의 일정에 따르는 편이라 주님이 선택하여 주신 것이 아닌가 싶다. 찬양대로 오랜 기간(40년) 충성을 해오던 사람이 남을 섬기고 영혼에 밀접한 업무처리를 해야 하는 것이 처음에는 안 어울리는 옷을 입은 것 같아 힘들었고, 그럴 때마다 기도하게 되어 남의 영혼을 관리하다 보니 내 영혼도 맑아지는 것을 체험했다.

기관회원 명단을 받아 들고 일일이 전화하며 인사를 나누는데 아예 전화를 안 받거나 받아도 "연세중앙"할 때 전화가 끊긴다. 그간에 모임에 섭섭함이나 인간관계에서 오해가 있어 그런가 짐작하게 된다.

어찌 되었건 영혼을 살려야 하는데 코로나가 기승을 부리던 연초에는 아예 교회에 나와 예배를 안 드리니 더욱 심각한 상황이 벌어졌다.

심방이나 식사도 할 수 없는 시절이라 발만 동동구르고 초기에는 기관 식구들이 예배에 나오는 숫자가 미미할 정도여서 3~4명으로 시작되어 그 심각함은 더하였다. 주님 제게 맡기신 영혼이 30여 명인데 단 10% 정도 나머지는 제가 할 일이군요. 울면서 이들의 이름을 불러가며 기도를 하는데 담임목사님의 심정을 백에 하나라도 알 듯하여 또 눈물이 앞을 가린다.

2. 상반기에 회원들을 어떻게 섬기고 계시는지 알려주세요(기관을 이끌어갈 구체적인 방향이나 방법도 제시해 주세요)

상반기가 지나고 있다. 아직도 교회에 발을 내딛지 못하는 안타까운 회원들이 상당수다. 담임목사님의 애절한 예배참여에도 불구하고 듣지 않는다.

기관을 배정받고 처음 서너 명으로 시작된 예배가 주님의 은혜로 현재 열 명에서 열두 명까지 예배를 드린다. 31명의 가족이 전부 예배드리는 것이 목표와 희망이지만 절반을 1차 목표로 삼고 회원들의 관심이 어디에 있는지 파악하여 각 회원에 맞춤 응대 법을 준비하고 적용하고 있다.

처음에는 미숙해서 원칙적인 이야기만 해서 반감을 더러 초래하여 반응이 좋지 않아 왜 그럴까? 고심을 많이 했고 주님께 하소연도 해봤다. 왜 이런 부서에 저를 맡기시고 애타게 하시나요?

조금씩 반응이 좋아져 친형제처럼 이럴 때는 어떻게 하면 좋을까 묻기도 한다.

기도가 움직이게 하고 행동의 결과를 가지고 또 기도하게 하시니 기도가 일하게 하신다는 말씀이 마음에 다가온다.

예배를 장기간 못 드린 회원을 중심으로 전화를 하며 마음을 나눈다. 힘든 일을 잘 참아가며 하니 회사도 발전하고 가정도 화목하게 되고 신앙생활도 그 힘으로 충성을 하게 되니 우린 복 받은 사람이네요. 기도하고 있어요. 당장 교회는 나오지 못하더라도 주님의 은혜를 저버리지 말고 첫사랑을 망각하거나 거절하지 않으면 주님께서 기다리시듯 저도 교회 앞마당에서 기다리고 있을게요. 내가 사랑이 있어서가 아니라 내 안에 나를 주장하시는 성령님이 하시는 것이라 생각이 드니 감사할 뿐이다.

3. 임명부터 지금까지 은혜로운 일화나 기억에 남는 회원이 있다면 말씀해 주세요.

아직도 교회에 출석하지 못하는 김 모 성도 이야기를 해 볼까 한다.

코로나 사회적 거리를 두기 몇 주 전까지 코로나 감염이 회사에서 발생하여 이번 주에는 힘들 거 같다, 그다음 주에는 누가 걸려서, 그다음 주에는…. 이렇게 코로나로 석 달을 질질 끌더니 갑자기 지방이라면서 이번 주에는 어렵다고 그럼 다음 주에는 꼭 나와서 얼굴도 보고 제대로 예배 생활하자고 약속을 철석같이 한다. 주일이 임박해 오기 전에 또 기대를 품고 전화를 한다. 이번에는 누가 돌아가셔서…. 토요일에는 심방을 알리지 않고 직접 찾아가 집 앞이라고 나오겠냐? 내가 들어가랴? 당황한 나머지 오시면 미리 연락해주시고 오시지요 하면서 작은딸과 지금 밖이라고 하면서 얼굴에 피부과 치료를 받아서 이번 주에는 힘들다고 하면서 그럼 다음 주에는 꼭 나오라고 하니 다음 주에는 광주 친척 집 결혼식이 있어서…. 무려 5개월이 가깝도록 핑계를 댄다. 아무튼, 나올 때까지 이 영혼의 마귀 장난을 물리치게 하리라 굳게 마음을 먹는다. 이날까지 기다렸는데 두 주간 못 기다리겠느냐 하지만 그 안에 주님 강림하시면 어쩌랴. 안타까운 심정으로 발길을 돌리지만, 주님은 다 보고 계시리라. 주여 백 년이라도 저 영혼이 돌아오기까지 씨름하며 살리겠사오니 끝까지 인내하며 주님 심정 가지고 기다리며 기도하게 하소서.

다른 성도는 지 모 성도인데 이 분도 코로나로 나오지 못하다가 사회적 거리가 완화되고 종교시설 모임이 풀리면 나오겠다고 약속을 하고 여러 번 통화하다가 지난주에 나와서 예배드리고 한 가족이 되어 얼마나 감개무량한지 모른다.

또 다른 성도는 이 모 성도인데 연로하시고 부인되시는 분이 거동이 불편하셔서 교회에 못 나오시는 성도님이다. 꾸준한 관심과 한 주를 여는 시

(필자의 시)나 성경 구절을 정기적으로 보내드리며 예배도 가정에서 꼭 드리셔야 들은 것만큼 내 것 되고, 그 믿음 가지고 천국 간다고 전한다. 며칠 전에는 전화가 와서 받아보니 그분이시다. 기관 회비를 내고 싶다고 계좌번호를 알려달라신다. 계속 교회에 나오지는 못하지만 나도 기관의 일원으로 회비를 내고 싶단다.

주님이 일하고 계심을 느끼는 순간이다.

마지막으로 윤 모 성도 이야기를 하고 마칠까 한다. 이 분은 새가족 시절에 충성하던 분인데 기관 임원을 맡고서 몇 주 잘 섬기다가 가정에 무슨 일로 교회를 안 나오기를 몇 달째다. 해당 교구장으로부터 연락을 받고 심방을 해 줄 수 있는지를 물어 오신다. 당연히 해야죠. 말씀을 드리고 심방하기 위해 날짜 조정을 한다, 여러 번 전화와 심방을 해도 피하고 안 만나주는 것이 자기 맘은 아닐진대, 문자메시지나 카톡을 보내도 보기만 했지 일절 답변은 없다. 혼자 벽을 보며 이야기하는 심정이지만 그래도 주님의 애끓는 심정으로 참고 이 시기가 지나면 언젠가는 풀리지 않을까 싶다. 지금 고집부리고 피하고 대꾸 안 하는 것은 마귀의 짓이다. 부인되시는 집사님과는 가끔 이런 문제를 놓고 통화도 하고 문자도 주고받지만 요지부동이다. 어느 날인가 심방을 해서 집 앞인데 어쩔 거냐? 내일 교회에 나와 예배드린다고 하면 이대로 갈 것이니 답변을 하라고 해도 묵묵부답이다. 한 십 여분 있으니 부인으로부터 문자가 왔다. 내일 주일 1부 예배드리러 간대요.

할렐루야! 이렇게 변해가는 나도 주님이 사랑하고 계심을 감사하면서 내일은 누가 새로 교회에 나와 예배드릴까 기대하며 돌아서는 길목에서 찬송이 저절로 나온다.

51남 전도회 회장 조영황

축하의 말 : 신앙생활이 시가 되는 삶

시인은 우리나라에서 기도를 제일 강조하며 신앙을 우선으로 영적 생활하는 연세중앙교회 남전도회 기관장으로 섬기고 있습니다.
헬몬찬양대, 안디옥 성전, 예루살렘 문화홀, 작정 기도와 심방으로 교회 생활하며 느끼는 고백을 시로 표현하고 있습니다.
기도하며 사랑하고 무릎 꿇어 찬양하고 기쁨으로 섬기며 신앙생활 하는 느낌을 아름다운 시어(詩語)로 형상화하며 읽는 이에게 감동을 선사합니다.
진달래 대표시인으로 주님과 가족에 대해 마음을 담은 시집 『고백하지 못한 사랑』에 이어 두 번째 시집을 출간하게 되어 진심으로 축하드리며, 책으로 내도록 허락하고 도와주신 시인에게 감사합니다.
모쪼록 시인이 더 좋은 작품으로 독자들을 기쁘게 하고, 가정은 화목하고 건강하고 영혼의 때를 위해 사는 신앙의 길에서도 지치지 않고 흔들리지 않고 천국 소망 가지고 나아가길 기도합니다.
독자 여러분에게도 감사드립니다.

진달래 출판사 대표 오태영(시인, 작가)

시인 프로필(Profile)

운봉(雲峰) 조영황 (시인, 작사가)

대한민국 서울출생.
한양대 경영학석사 졸업(MBA)
연세대 교회음악 합창지휘 2년 수료
한국교회음악협회 합창지휘세미나 15년 이상 수료
문학예술 신인상 (시 부문) 등단
현, 문학예술서경지회 이사
현, 유넥스코리아 대표(공간건축디자이너)
현, 한국가곡작사가협회 이사
현, (사)서울우리예술가곡협회 부회장
현, (사)한국음악저작권협회 회원
현, 작곡가 김성희 음악카페 회장
현, 연세중앙교회 51남전도회 회장

전. 아름다운음악인 초대회장
전. 캔티클합창단 부단장
전. 서울매스터코랄 회장
전. 한양대 경영학회장
전. 한양대 총동창회 부회장
전. 한양사이버대 공간디자인학과 고문
전. KBS. SBS. JTBC 드라마세트 자문 및 지원
전. 무지개교회 장로
전, 염곡교회, 무지개교회 찬양대 지휘
전, 헬몬찬양대 차장, 찬양지원부장
전, 연세중앙교회 45남 총무

作品

*신작가곡/

고백하지 못한 사랑, 은빛바다에 서서, 그린 비 타고 오는 날엔, 꿈이야, 사랑가면, 애상, 경춘선 연가, 아라 뱃길, 세미원, 세미원에서, 등나무 그늘 아래, 무언가, 구월이 오면, 시월 愛, 파도의 속삭임, 희망, 희망의 찬가, 흰 눈 내리던 날에, 청포리 사랑, 메미레 메밀愛, 그리움이 파도를 타고 오는 날엔, 강물에 쏟아지는 솔잎처럼, 문경 날다, 외가 가는 날,
해운대 사랑, 인당화, 세미원에서2, 가을이 오면,
가을이 오면2, 인당화(합창), 사랑 너머, 아! 영월

*의식가곡/

열두 시간(이산가족 이야기)

바위 꽃(정신대 이야기)

*협회가/

서울우리예술가곡협회가

예가 서울이어라

*찬양곡/

마라나타 주님, 마라나타 합창, 그 사랑,
양같이 제 길로 갔거늘(합창) , 놀라운 사랑(합창),
그리스도 만유의 아버지(합창), 감사함으로 찬양하리라(합창),
놀라운 사랑(독창), 사랑의 향기(합창), 사랑의 향기,
마라나타2, 사랑의 수문을 열어, 피 흘려 살리신 사랑, 가을의 기도, 영원토록 찬양해

*시집

열두 시간, 고백하지 못한 사랑, 두 손 들고

*가곡집

사랑 너머, 영혼의 울림, 꿈이야

*음원

고백하지 못한 사랑, 은빛바다에 서서, 그린 비 타고 오는 날엔, 꿈이야, 사랑가면, 애상, 경춘선 연가, 아라 뱃길, 세미원, 세미원에서, 등나무 그늘 아래, 무언가, 구월이 오면, 시월 愛, 파도의 속삭임, 희망, 희망의 찬가, 흰 눈 내리던 날에, 청포리 사랑, 메미레 메밀愛, 그리움이 파도를 타고 오는 날엔,
강물에 쏟아지는 솔잎처럼, 문경 날다, 외가 가는 날, 해운대 사랑, 인당화, 세미원에서2, 가을이 오면,

가을이 오면2, 인당화(합창), 사랑 너머, 아! 영월, 예가 서울이어라, 서울예가

*신작가곡발표회

세종문화회관 대극장 2회
세종체임버 홀 4회
예술의 전당 콘서트홀 2회
예술의 전당 IBK홀 4회
영산아트 홀 6회
금호아트 홀 3회
성남아트센터 콘서트홀 2회
삼익아트 홀 4회
모짜르트 홀 3회
윤봉길 기념관 매헌홀 8회
한성백제 홀 3회
그 외 수 백회 발표